LA
DAMA
DE LA
LUNA

AMY TAN

LA DAMA DE LA LUNA

ilustraciones de GRETCHEN SCHIELDS

TUSQUETS/CIRCULO

SPANISH

Título original: *The Moon Lady*

1.ª edición: noviembre 1992

© de la traducción: Jordi Fibla, 1992
© de la edición española: Tusquets Editores, S.A. y Círculo de Lectores, S.A., 1992,
Tusquets Editores ISBN: 84-7223-638-2
Círculo de Lectores ISBN: 84-226-4291-3
Depósito legal: B. 33.754-1992
Impresión y encuadernación, Grafos,S.A. Arte sobre papel
Impreso en España

Para nuestras sobrinas con amor:

Kristen y Chelsea Schields,
Karen BettinaVigeland,
y
Melissa Tan

Tres hermanas miraban por la ventana del piso de su abuela. El cielo estaba cubierto de nubes oscuras y en la calle gruesas gotas de lluvia tamborileaban en los paraguas. ¡No tenían nada que hacer!

—Ojalá dejara de llover —dijo Maggie con un suspiro. Era la mayor y le resultaba muy difícil permanecer sentada y quieta.

—Ojalá pudiéramos mojarnos bajo la lluvia —dijo Lily al ver a un chico que corría en bicicleta por entre los charcos.

June, la hermana más pequeña, empañó el cristal con su aliento y dibujó una cara en la zona húmeda y opaca.

—Ojalá tuviésemos algo que hacer, Nai-nai —le dijo a su abuela.

—Cuántos deseos en una tarde lluviosa —comentó Nai-nai, y cuando vio las caras que ponían sus nietas las atrajo hacia sí—. Sé lo que es desear que el tiempo sea más caluroso o más fresco, más soleado o más nuboso. También he sido pequeña, y recuerdo que cierta vez corrí y grité sin poder estarme quieta.

—¿Gritaste? —le preguntó Maggie con los ojos muy abiertos. Nai-nai se echó a reír.

—¿Crees que no sé gritar? Claro que sí, grité con todas mis fuerzas. Fue el día en que le conté mi deseo secreto a la Dama de la Luna.

—¿Quién es la Dama de la Luna? —quiso saber Lily.

—¿Qué es un deseo secreto? —preguntó June.

—¡Cuántas preguntas! —replicó Nai-nai—. Bueno, sentaos y os lo contaré… Es algo que me ocurrió de niña, en China. Es mi recuerdo más antiguo.

Hace muchos años, cuando cumplí los siete, llegó el Festival de la Luna en un otoño caluroso, terriblemente caluroso. Cuando desperté aquella mañana, el decimoquinto día de la octava luna, la estera de paja que cubría mi cama ya estaba pegajosa. Los rayos del sol atravesaban las cortinas de bambú como cuchillos, y pronto el calor avivó los olores de mi bacinilla, penetró en mi almohada y me provocó picores en la nuca, por lo que me desperté inquieta y muy quejosa.

—¡Amah! —grité—. ¡Hace demasiado calor!

Mi ama de cría dormía en un camastro en la misma habitación, y me levantó de la cama. Pero aquel día, en lugar de vestirme con la chaqueta de algodón ligero y los pantalones holgados que solía ponerme, Amah sacó unos vestidos más pesados.

—¡Hace demasiado calor! —me quejé mientras Amah me ponía la chaqueta sobre las prendas interiores de algodón.

—No discutas —replicó Amah—. Tu madre te ha hecho esta ropa especial para el Festival de la Luna.

La chaqueta y los pantalones eran de seda amarilla, con bordes negros en las mangas y a la altura de los tobillos en los que habían bordado flores de colores. Amarillo y negro: los colores del tigre… pues eso era yo, una niña nacida en el año del tigre, un tigre con un lado claro y otro oscuro, un temperamento fiero y unos pies hechos para correr.

Le pregunté a Amah si podía ponerme las zapatillas atigradas de mi hermano mayor, que se le habían quedado ya pequeñas.

—Si te portas bien —respondió Amah. Me estaba trenzando el cabello con hilos de seda, recogiéndolo en dos moños apretados, uno a cada lado de la cabeza.

De repente oí voces en el patio y fingí que me caía del taburete para ver a través de la ventana.

—¡Estáte quieta, Ying-ying! —me riñó Amah, y tiró de mí hacia atrás antes de que pudiera ver a nadie.

—¿Quién está ahí? —pregunté.

—*Da jya* —respondió Amah: toda la familia—. Tu padre ha alquilado una gran embarcación y esta tarde todos iremos al lago Tai. Y por la noche, si te portas bien, verás a la Dama de la Luna.

—¡La Dama de la Luna! ¡La Dama de la Luna! —exclamé dando brincos. Entonces tiré de la manga de Amah y le pregunté—: ¿Quién es la Dama de la Luna?

—La señora Chang-O —respondió Amah—. Vive en la luna y esta noche es la única ocasión en que puedes verla y conseguir que se cumpla un deseo secreto.

Imaginé a una señora envuelta en sombras, sentada en la luna e inclinándose desde allí para buscarme.

—¿Qué es un deseo secreto? —quise saber.

—Es lo que quieres pero no puedes pedir.

—¿Por qué no lo puedo pedir?

Amah tuvo que pensar mucho la respuesta.

—Si lo pides, ya no es un deseo sino una petición egoísta —dijo.

—¿Cómo sabré entonces que la Dama de la Luna conoce mi deseo?

Amah se echó a reír.

—A ella puedes pedírselo porque no es una persona común.

—Muy bien —repliqué—. Entonces le diré que no quiero llevar más esta ropa.

—¡Eh! —exclamó Amah—. ¿No acabo de explicártelo? Ahora que me lo has dicho, ya no es un deseo secreto.

Aquella calurosa mañana nadie, excepto yo, parecía tener prisa por ir al lago. Mamá y las señoras mayores bebían más y más té.

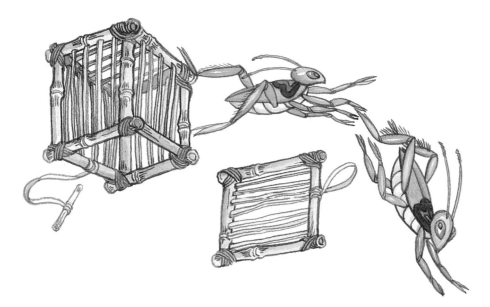

Hablaban de dolores y achaques, de hierbas y ungüentos para aliviar la hinchazón de los pies. Mi padre y mis tíos recitaban poesías, miraban las pinturas colgadas de las paredes, escuchaban a un grillo que cantaba en su jaula.

Yo suspiraba sin cesar, impaciente por ir al lago, pero nadie parecía fijarse en mí. Finalmente Amah entró en la habitación y me dio un pastelillo de la luna en forma de conejo. Me dijo que podía ir al patio y comerme el pastelillo con mis dos primas, Pequeña Mei y Pequeñísima Mei.

Es fácil que te olvides de un barco cuando tienes en la mano un pastelillo de la luna en forma de conejo. Las tres cruzamos corriendo la redonda puerta de la luna que daba al patio. Reñimos y chillamos para ver quién llegaba primero al banco. Como yo era la mayor, me senté en la parte sombreada, donde la losa de piedra estaba fresca. Mis primas se sentaron al sol, mirando alternativamente a mí y al pastelillo en forma de conejo.

¡Ah, ojalá no tuviera que compartirlo! Pero en cuanto ese pensamiento cruzó por mi mente, supe que era un deseo egoísta. Así pues, arranqué las dos orejas del conejo y se las ofrecí a mis primas. No era un gesto muy generoso, desde luego, porque las orejas eran sólo de masa, sin el relleno de habas dulces o yema de huevo, pero mis primas

eran demasiado pequeñas para protestar. Me comí el cuerpo redondeado del conejo y me pasé la lengua por los labios para apurar la pegajosa dulzura. Tras recoger hasta la última migaja caída, mis primas se marcharon y me quedé sin nada más que hacer.

De repente vi una libélula de brillante cuerpo carmesí y alas transparentes. Me puse en pie de un salto y corrí tras ella, saltando y alzando las manos, deseosa de poder volar y perseguirla.

—¡Ying-ying! —oí gritar a Amah en tono regañón. Estaba cruzando la puerta de la luna seguida por mi madre y mis tías—. ¡Mira tu ropa nueva!

Mi madre vino a mi lado y me sonrió.

—Un chico puede correr y perseguir libélulas, porque es propio de su naturaleza —me explicó con amabilidad—, pero una niña tiene que estarse quieta. Si permaneces quieta durante largo rato, la libélula ya no te verá y entonces vendrá a ocultarse en tu sombra.

Las otras señoras asintieron riendo y me dejaron sola en medio del patio caluroso.

Me quedé completamente inmóvil y así descubrí mi sombra.

Tenía las piernas cortas y los brazos largos, dos trenzas oscuras recogidas en moños como las mías. ¡Y pensaba igual que yo! Cuando movía la cabeza, ella movía la suya. Ambas agitamos los brazos, levantamos una pierna. Me volví para alejarme y ella me siguió. Eché a correr y me persiguió. ¡Me metí en la sombra y desapareció! Grité de placer por la inteligencia que revelaba mi sombra. ¡Cómo quería a mi sombra, aquel lado oscuro de mí misma que amaba todas las cosas que nadie más podía ver!

Y entonces oí que Amah me llamaba.

—¡Ying-ying! ¡Es hora de ir al lago!

Mi sombra y yo corrimos hacia ella.

Toda la familia estaba al lado de la puerta principal, charlando alegremente en espera de que llegaran los jinrikisha. Baba llevaba un traje nuevo de color marrón. Mamá se había puesto una chaqueta y una falda de colores, distribuidos en sentido inverso a los míos: seda negra con franjas amarillas. Mi hermano mayor llevaba una camisa azul, abrochada con una cadena con hebilla de plata para protegerle de los fantasmas que robaban a los niños.

Cuando llegamos al lago me sentí decepcionada porque no corría ni un soplo de brisa. Me apresuré a bajar del vehículo y, claro, tuve que esperar un buen rato mientras todos los demás bajaban lentamente de los suyos, mamá, Baba, mis tíos y tías, mi hermano y mis primas.

Aquel día la orilla del lago estaba llena de gente excitada. Desde donde me encontraba podía ver el gran barco alquilado por mi familia. Parecía una casa de té flotante, con columnas rojas y un tejado inclinado.

Y entonces, ¡por fin!, Amah me cogió de la mano y me ayudó a subir a bordo por la pasarela. En cuanto puse los pies en la cubierta solté la mano de Amah y corrí con mis primas por entre las piernas de

la gente y los ondulantes vestidos de seda oscura y brillante, ansiosa por explorar toda la embarcación.

Me encantaba la sensación de estar a punto de caer por un lado y luego por el otro. Los farolillos rojos que colgaban del techo se balanceaban igual que nosotros. Deslizamos las yemas de los dedos a lo largo de las barandillas y luego corrimos por entre las mesas en el interior de la casa de té. Empujamos una puerta giratoria y entramos en una especie de cocina. Un hombre que sujetaba una gran cuchilla de carnicero se volvió hacia nosotras, y asustadas, regresamos corriendo a la proa del barco.

Una vez allí, no sólo encontramos rostros familiares... ¡sino una fiesta! Los criados vaciaban cestos de comida para el almuerzo, y pronto aparecieron cuencos y palillos. Había sacos de manzanas, peras y granadas, húmedos potes de barro con carnes y verduras en conserva, fuentes llenas de gambas y cangrejos de río, así como montones de cajas de color rojo cada una de las cuales contenía cuatro pastelillos de la luna. ¡Había suficiente para todo el mundo, mucho más de lo que podría haber deseado! Terminamos de comer pronto. Baba y el tío eructaron sonoramente, mamá y mis tías reanudaron el mismo chismorreo adormecedor mientras tomaban té. Los criados extendieron las esteras de paja y Amah me pidió que estuviese quieta y me acostara en mi estera. Entonces, mientras todos dormíamos la siesta durante las horas más calurosas de la jornada, se hizo en el barco un silencio absoluto.

Cuando tuve la seguridad de que todo el mundo dormía, me levanté tan silenciosamente como un tigre para no despertar a Amah. Primero me acerqué a la barandilla y miré las aguas del lago. Estaba lleno de embarcaciones de remos, de pedales, de vela, de pesca, barcas pequeñas sin más techo que un parasol aceitado y casas de té flotantes tan grandes como la nuestra.

Entonces recorrí el barco. Pasé silenciosamente junto a la cocina donde había visto al hombre temible con la cuchilla de carnicero y, de repente, me encontré en un lugar donde nunca había estado: la popa del barco. Un hombre metía maderos de leña en un fogón con guardavientos. Una mujer desdentada cortaba verduras y dos chicos de aspecto descuidado estaban acuclillados en el borde de la cubierta. El chico mayor sacó de una jaula de bambú una gran ave que graznaba. El más pequeño se zambulló y nadó hasta una balsa de cañas huecas. Entonces el chico mayor arrojó el pájaro por la borda. Cayó en picado, aleteando frenéticamente, y chocó con la brillante superficie del agua.

Me acerqué al borde de la embarcación y llegué a tiempo para ver que el ave se sumergía y desaparecía. ¡Al cabo de unos segundos emergió y en su largo pico había un pez que aún se movía tratando de escapar! Antes de que el ave pudiera tragarse su presa, el chico de la balsa le arrebató el pez del pico y lo lanzó al chico del barco, el cual lo echó a un balde de madera. Repitieron la operación una y otra vez y en cada ocasión yo aplaudía. ¡Cómo deseaba ser uno de aquellos chicos!

Me volví y descubrí otras cosas interesantes. Ahora la mujer desdentada metía las manos en un cubo lleno de anguilas. Me acerqué más y vi que parecían serpientes negras de agua. La mujer cogió una larga, que se contorsionaba, y con un cuchillo afilado la rebanó de un extremo a otro y volvió a echarla al cubo. Me aproximé más y vi que

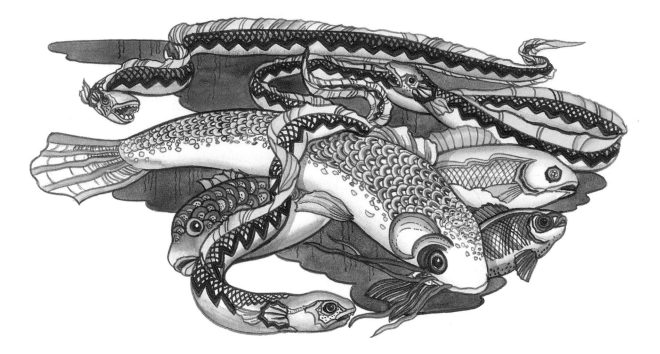

el agua se había vuelto roja. La anciana se echó a reír y dijo:

—¡Sopa sabrosa para tu cena!

Entonces sus manos volvieron a afanarse. ¡Zsss! ¡Zsss! ¡Zsss! ¡Tac! ¡Tac! ¡Tac! Las escamas de pescado saltaban por el aire como esquirlas de cristal. Los patos graznaban y sus plumas flotaban ante mis ojos como nubes. La mujer arrojó cubos de agua en la cubierta para eliminar el olor de pescado. Concluida su tarea se irguió con un crujido de articulaciones, llevó unos cestos de verduras a la cocina y me dejó sola.

En aquel momento me fijé en mis ropas nuevas… estaban llenas de manchas de sangre de anguila, escamas de pescado, trozos de plumas y barro. Y oí la voz de Amah: «Ying-ying, ¿dónde estás?». ¡Qué ocurrencia tan extraña tuve! Me apresuré a meter las manos en el cubo de las anguilas y me embadurné las mangas, la parte delantera de los pantalones y el resto de la chaqueta. Creía de veras que podía ocultar las manchas tiñendo toda mi ropa de rojo carmesí, y que si me quedaba completamente inmóvil nadie notaría el cambio.

Así es como me encontró Amah: cubierta de sangre de anguila. ¡Ah, cómo gritó! Se precipitó hacia mí para ver qué partes del cuerpo me faltaban, dónde tenía los orificios por los que manaba la sangre. Y tras haberme inspeccionado los oídos y la nariz y contado los dedos

de manos y pies, me quitó la chaqueta y los pantalones y me riñó con voz temblorosa:

—Tu madre se alegrará de librarse de nosotras. —Estaba enfadada, pero creo que también tenía miedo. Era responsable de mí, ¿sabéis?, y cuando yo tenía un problema ella lo tenía aún mayor—. Tu madre nos deportará a Kunming —dijo Amah en tono triste.

¡Y me alegré al oírle decir eso! Tenía entendido que Kunming era un lugar salvaje rodeado por un bosque de piedra donde mandaban unos monos reidores.

—¿Cuándo podemos ir? —le pregunté.

Amah se quedó boquiabierta, asombrada al oírme decir tal cosa. Me quedé ahí de pie, sólo con la ropa interior de algodón, haciendo pucheros en la popa del barco, porque me había negado a pedir perdón.

Llegó la noche, el cielo se oscureció y el agua se volvió negra. Yo seguía sentada en la popa del barco, contemplando las luces de los faroles rojos que brillaban en todo el lago. Oía el alboroto de las gentes felices en la proa, ansiosas por que empezara el banquete, y deseaba estar allí.

Contemplé el agua bajo mis pies descalzos y vi mi reflejo: las piernas, la cara enfurruñada, la mano que agitaba una de las sucias zapatillas atigradas. Y en el agua oscura y brillante vi la luna llena que se alzaba por encima de mi cabeza, una luna tan cálida y grande que parecía el sol. ¡La Dama de la Luna! Casi lo había olvidado. Me volví para buscarla y pedirle mi deseo secreto. Pero en aquel momento… ¡pam! ¡pam! ¡pam!, comenzaron los fuegos artificiales. Sobresaltada, perdí el equilibrio y, con las zapatillas atigradas todavía en la mano, me caí al lago.

El agua estaba fresca y al principio no me asusté. Llamé a Amah,

pues sabía que siempre se presentaba cuando la llamaba a gritos. Y entonces empecé a asfixiarme, el agua me entraba por la nariz, me anegaba la garganta y los ojos. «¡Amah!», intenté gritar de nuevo, y me enojé mucho porque no venía enseguida. ¡Entonces noté que una cosa oscura me rozaba la pierna y tuve la seguridad de que era una serpiente de agua!

Aquella cosa me envolvió y apretó mi cuerpo como si fuese una esponja, luego me lanzó al aire y… caí en una red de cuerdas llena de peces que coleaban. El agua me salía de la boca a borbotones y ahora gemía, aferrando todavía mi zapatilla empapada.

Cuando por fin pude abrir los ojos, vi una gran sombra. Otra sombra estaba subiendo a la barca. Resultó ser un pescador, empapado y goteante.

—¿Es muy pequeño? —dijo el hombre y soltó una risotada—. ¿Devolvemos este pescadito al agua?

Aunque la noche era calurosa, empecé a temblar. Estaba demasiado asustada para echarme a llorar.

—Basta ya —dijo la otra sombra, que era una pescadora. La has asustado. —Se volvió hacia mí y me dijo amablemente—: No temas. ¿Eres de otra barca de pesca? ¿Cuál de ellas? Señálala.

Miré al lago. El corazón me latía con rapidez. Estaba ansiosa por encontrar a mi familia, pero sólo veía barcas de remos y pedales, veleros y barcas de pesca como la que me había recogido, con la proa larga y una casita en el centro.

¡Y entonces la vi por fin!

—Allí —dije señalando una casa de té llena de gente que reía y con farolillos oscilantes—. ¡Allí! ¡Allí!

Me eché a llorar, ahora impaciente por volver con mi familia. La barca de pesca se deslizó rápidamente en dirección a la casa de té flotante.

—¡Eh! —gritó la pescadora a los del barco—. ¿Han perdido a una pequeña, una niña que se cayó al agua?

Oí unos gritos procedentes de la casa de té flotante y me esfor-

cé por distinguir los rostros de mamá, Baba y Amah. La gente se apiñó a un lado del barco para mirarnos. Se inclinaban, señalando nuestra barca, reían y alzaban las voces, los rostros enrojecidos.

Una niñita se abrió paso entre algunas piernas.

—¡Esa no soy yo! —gritó—. Yo estoy aquí. No me he caído al agua.

Los del barco se rieron más y luego se dispersaron.

—Te has confundido, señorita —me dijo la pescadora mientras nos alejábamos.

Empecé a temblar de nuevo. No había visto a nadie a quien le importara mi desaparición. Cuanto más nos alejábamos, mayor se hacía el mundo. Y ahora tenía la sensación de que me había perdido para siempre.

La pescadora me miraba fijamente. Los moños se habían deshecho y me colgaban las trenzas. Mis prendas interiores estaban mojadas y sucias.

—¿Qué vamos a hacer? —preguntó la mujer—. Nadie la reclama.

—A lo mejor es una mendiga —dijo el hombre—. Mira su ropa. Es una de esas niñas que navegan en balsas endebles para pedir dinero.

Me sentí aterrada. Tal vez aquello era cierto. Me había convertido en una mendiga pobre, perdida y sin familia.

—¿Es que no tienes ojos en la cara? —replicó la mujer, irritada—. Mira la blancura de su piel y lo blandas que son las plantas de sus pies. Es una de esas niñas que ha llevado zapatos toda su vida.

¡Qué feliz me sentí al oír sus palabras! Entonces recordé la zapatilla empapada que tenía en la mano y se la enseñé a los pescadores.

—*Ai-ya!* —exclamó la mujer, mirando aquel bulto mojado amarillo y negro—. Sin duda eres el tesoro perdido de alguien.

—Entonces dejémosla en la orilla —dijo el hombre—. Si tiene realmente familia que desea encontrarla, allí es donde la buscarán.

Cuando llegamos al embarcadero, el hombre me levantó de la barca y me dejó en el suelo.

—La próxima vez ten cuidado, —me gritó la mujer.

En el embarcadero, con la luna brillante a mis espaldas, volví a ver mi sombra. Esta vez era más corta, encogida y de aspecto salvaje. Juntas corrimos por un camino hasta unos arbustos y nos escondimos. Oía el croar de las ranas y el canto de los grillos. Y entonces… ¡flautas y platillos tintineantes, un gong y tambores!

Desde los arbustos vi una multitud y, por encima de la gente, un escenario en el que se alzaba la luna. Entonces un hombre salió al escenario y dijo a la multitud:

—¡Y ahora la Dama de la Luna hará una representación de sombras chinescas y os cantará su triste melodía!

¡La Dama de la Luna! Vi la sombra de una mujer contra la luna brillante del escenario. Se peinaba el largo cabello y cantaba:

—Qué triste es mi destino… vivir en la luna, mientras mi marido vive en el sol. Cada día y cada noche pasamos uno por el lado del otro, sin vernos jamás, excepto esta noche, la noche de la luna a mediados de otoño. —Tañó su laúd y siguió cantando—: Mi marido, el arquero jefe, derribó diez soles en el cielo oriental. ¡Salvó al mundo y recibió como recompensa un melocotón mágico, el melocotón de la vida eterna!

La sombra de la Dama de la Luna se levantó y abrió una caja.

—Cuando mi marido estaba ausente, encontré su melocotón mágico —cantó—. Y deseosa de vivir eternamente, me lo comí de un bocado.

La Dama de la Luna empezó a alzarse y voló como una libélula con las alas rotas.

—Me desterró de este mundo y me envió a vivir a la luna.

Sonó de nuevo la triste música del laúd, y entonces vi que la pobre mujer se ponía en pie contra la luna brillante. Su cabello era tan largo que barría el suelo y enjugaba las lágrimas derramadas en él. Había transcurrido una eternidad, porque ése era su destino: permanecer perdida en la luna, lamentando siempre sus deseos egoístas.

—Pues la mujer es yin —dijo entre sollozos—, la oscuridad interior, donde se encuentran las pasiones. Y el hombre es yang, la brillante verdad que ilumina nuestra mente.

El escenario quedó a oscuras.

Cuando acabó el relato de la Dama de la Luna, yo lloraba con ella. Conocía bien sus sentimientos, pues en un brevísimo instante ambas nos habíamos perdido para el mundo. No teníamos manera de encontrar el camino de regreso.

En aquel momento el mismo joven salió al escenario y anunció:

—¡Atención! ¡Atención! Ahora, para agradeceros vuestra presencia, la Dama de la Luna ha accedido a conceder un deseo secreto a cada persona aquí presente. —La multitud murmuró con exitación—. Por un pequeño donativo, naturalmente —añadió el joven, y todos le abuchearon y empezaron a alejarse.

Nadie escuchaba excepto mi sombra y yo en los arbustos.

—¡Tengo un deseo! —grité mientras corría agitando mi zapatilla.

Pero el joven no me prestó atención. Así pues, con la rapidez de un lagarto me deslicé por detrás del escenario, hasta la otra cara de la luna. Y entonces la vi… la Dama de la Luna tan hermosa y resplandeciente con la luz de una docena de lámparas. Agitaba su larga cabellera oscura.

—Tengo un deseo —le susurré, pero ella no me oyó.

Pensé rápidamente, tratando de decidir qué le pediría, y recordé todos mis deseos durante aquel día: quitarme las ropas calurosas, comerme yo sola todo un pastelillo de la luna, volar como una libélula, ser un chico libre de cuidados en una balsa de cañas.

—Tengo un deseo —repetí, esta vez alzando más la voz.

Me acerqué más a la Dama de la Luna y pude verle el rostro: las mejillas hundidas, una nariz ancha y grasienta, los dientes largos y brillantes y los ojos enrojecidos. Con un profundo cansancio en el rostro, se quitó la larga cabellera, deslizó de sus hombros el vestido de seda. Y antes de que el deseo secreto pudiera salir de mis labios, la Dama de la Luna me miró y se convirtió en un hombre.

Ai-ya! Cuando vi quién era realmente la Dama de la Luna, eché a correr. Corrí por el lado del escenario y entre los arbustos. Bajé por el camino esquivando a la gente que paseaba por la orilla del lago. Subí corriendo a un puente para peatones. Y con la luna llena a mi

espalda, grité el que sin duda era un deseo auténtico de mi corazón: ¡deseaba que me encontraran!

—Y mi deseo se cumplió, ¿sabéis? —dijo Nai-nai a sus nietas risueñas—. Porque hoy estoy aquí para contaros este relato. Los encontré… a mamá, Baba, mis tíos y tías y a Amah… que me hacía señas agitando mi otra zapatilla atigrada. Y cuando corrí a sus brazos, exclamaron: «¡Te hemos encontrado! ¡Por fin te hemos encontrado!».

Maggie, Lily y June aplaudieron.

—Desde luego, dejé que lo creyeran así —siguió diciendo Nai-nai—, pero lo cierto era que yo misma me había encontrado. Descubrí qué clase de tigre era en realidad, porque entonces supe que existen muchas clases de deseos, unos que proceden del estómago, otros que son egoístas, algunos que salen del corazón, y supe que los mejores deseos son los que yo misma puedo hacer realidad. ¿Se os ocurre un deseo así?

Maggie, Lily y June se miraron y sonrieron. Juntaron sus cabezas, susurraron entre ellas y luego le contaron a Nai-nai su deseo secreto.

—¡Ah, qué deseo tan bueno! —exclamó Nai-nai—. Un deseo que se convierte en el deseo de todo el mundo.

Y Maggie, Lily y June salieron con su abuela de casa para que su deseo se hiciera realidad: bailaron con sus sombras, gritando y riendo a la luz de la luna llena.